周小愚油画

周小愚油画
康静之题

周小愚油画
陈立节

周小愚近照

# 周小愚艺术简历

| | |
|---|---|
| 1964年7月 | 湖南省文化艺术干部学校结业，分配到浏阳电影院任美工。 |
| 1975年—1978年 | 参加革命历史油画创作，主要作品有《向井冈山进军》、《毛委员在秋收起义部队中》、《秋收起义》、《要跟毛委员上井冈》、《秋收暴动前夕》等，前四幅作品由"秋收起义文家市会师纪念馆"陈列收藏。 |
| 1973年6月 | 加入中国美术家协会湖南分会。 |
| 1981年5月 | 《少奇同志，人民怀念你》参加"全国电影宣传画创作展览"。 |
| 1981年7月 | 调入浏阳市文化馆，任美术干部。 |
| 1982年—1983年 | 入浙江美术学院(现中国美术学院)油画创作进修班深造。 |
| 1983年9月 | 油画《环境卫生》参加"湖南省首届油画展"。 |
| 1986年9月 | 油画《摩梭女》获湖南省文化厅"群星银奖"。 |
| 1987年8月 | 油画《阴阳之四》参加"湖南省第二届油画展"。 |
| 1989年6月 | 油画《日月之晕》参加"湖南省第三届油画展"。 |
| 1989年7月 | 举办"周小愚油画展"。 |
| 1991年7月 | 油画《中华龙狮戏》获"庆祝中国共产党成立七十周年·湖南省美展"铜奖。 |
| 1992年9月 | 《狗尾巴草》《苗家小凤凰》等十幅油画参加香港"中国油画佳作联展"并由香港《大公报》《文汇报》等多家报刊重点推介。 |
| 1993年2月 | 油画《曙光初照》获国家文化部"全国第三届群星奖"铜奖。文化部社文司"全国群星美术大展"银奖。湖南省文化厅"群星金奖"。 |
| 1994年11月 | 油画《小山雀》参加"第八届全国美术作品展览"，获长沙市第四次优秀文艺成果评审委员会"优秀文艺创作奖"。 |
| 1994年12月 | 油画《老牛车与小女孩》等三幅作品参加香港"当代艺术作品展览"。 |
| 1995年5月 | 当选长沙市美术家协会副主席。 |
| 1995年8月 | 油画《谭嗣同献身》《小阳春》参加香港"当代艺术作品展览"。 |
| 1995年8月 | 油画《侵华的悔恨》获"纪念抗日战争胜利五十周年·湖南省美展"铜奖。 |
| 1996年8月 | 油画《牧鹅少年》参加香港"当代艺术作品展览"。 |
| 1997年2月 | 加入中国美术家协会。 |
| 1997年8月 | 油画《旗号镰刀斧头》获湖南省精神文明建设"五个一工程奖"。参加"庆祝中国人民解放军建军七十周年·全军第九届美术作品展览"。 |
| 1997年5月 | 长沙电视台撰文拍摄电视专题片《锤炼艺术和人生的油画家周小愚》。 |
| 1997年9月 | 油画《山雾》获"庆国庆、庆十五大·湖南省美术作品展览"银奖。 |
| 1997年10月 | 油画《山菊花开》参加"第四届中国体育美术作品展览"。 |
| 1998年2月 | 当选湖南省油画艺术委员会委员，受聘《美术报》特约记者。 |
| 1998年5月 | 湖南卫视撰文拍摄电视专题片《油画家周小愚》。 |
| 1998年9月 | 油画《人民怀念你》特约参加"纪念刘少奇诞生一百周年书画作品展览"，由中央文献出版社编入《纪念刘少奇诞生一百周年书画集》，原作由"刘少奇纪念馆"陈列收藏。 |
| 1999年1月 | 油画《沃土·晨光》获国家文化部"全国第八届群星奖"银奖，湖南省精神文明建设"五个一工程奖"，湖南省文化厅"群星金奖"。同时刊发在《中国文化报》、《中华文化画报》、《美术》、《美术报》、《美术大观》等十二种报刊、杂志。 |
| 1999年5月 | 油画《山妹》获第二届"世界华人艺术大奖"国际荣誉金奖。 |
| 1999年7月 | 中央电视台撰文拍摄电视专题片《以作画的名义远足——画家周小愚》。 |
| 1999年10月 | 油画《暖日·山花》、水彩画《老巷的诉说》参加"庆祝建国五十周年·湖南省美术作品大展"均获"优秀奖"，两幅同时入选"第九届全国美术作品展览"。另，《暖日·山花》获第三届"世界华人艺术大会"特别金奖。 |

# 艺术的精进和人的完成

邓平祥

1998年与罗工柳先生在中央美术学院

1999年与陈逸飞先生在长沙

1998年与邓平祥先生（右）、胡万卿先生（左）在中国美术馆

周小愚是经历了人生坎坷和痛苦的一位油画家。有一位哲人说：痛苦使人成为人。斯言至善。将这句哲言用之于周小愚的艺术及其人格是很合适的。在成为一个画家和成为一个人的过程中周小愚经历了怎样的痛苦和磨砺，在艺术圈子里是不多见的。作为画家三十余年的同道和知交，对他能够坚定地走过来，并且坚守着良知，恪守着艺术理想——在艺术的探索中实现人的完成，对此，我从心里由衷地感叹和钦佩。

在周小愚的人生道路上，深重的人生痛苦和命运忧患，几乎要窒息他的生命，损毁他的理智。我曾设想，假如在人生的道路上他没有艺术，他能走过来吗？即使走过来了他又会是一个怎样的人？他之所以能坚持着走过来，靠的是对艺术的执著和对做人的信念。并且这种信念在他的身上成为了一种智性的精神——这就是他精神生命和艺术创造的支点。

今天的年轻学子不会想象到在文化禁锢时期学习艺术的艰辛和恐怖。这是发生在三十多年前一个艺术学子身上的故事：他在画风景习作时被人诬陷以莫须有的"绘制越狱地图"的罪名而遭拘捕；他因收集和保存油画学习的资料、经典名画的印刷物而被抄家游斗。至于画家在童年时代所经受的家庭出身和家庭破裂而遭致的恐惧和痛苦则是今天年轻的艺术学子不能知晓的。但这些都积淀在周小愚的记忆之中，可贵的是这些人生痛苦和屈辱不但没有扭曲他的心灵，没有磨损他的意志，反而成为了他向善、向真、向美的精神资源和情感资源。

周小愚是一个具有美好内心世界的艺术家，他有一颗炽热而善良的心灵和一双热情而敏锐的眼睛。他的个人经验和心灵体验赋予了他的艺术以贯串始终的人道主义主题。画家的人道主义主题的基调是隽永和温情的、在他的作品意蕴中敏锐的人可以感觉到画家淡然的忧伤和发自心灵的叹息，然而这仅仅是一种内在的情怀，它是形而上的。画家提示着人的普遍悲剧意识，提示着人与人应该怜悯，应该关爱，应该理解和沟通。

周小愚在作品中孜孜不倦地表现的是：女孩、老人和动物（和人共处共存的动物）。这些形象不仅仅具有题材层面上的意义，在画家的作品中他们(它们)都被赋予了主题的意义，这个主题的内涵是：自然、纯真、美丽、善良。

在画家的作品中还有一个主题，它就是画家和自然的亲和和亲近。画家笔下的人物和谐和的环境，包括树木、河流、篱笆、小舟、小道等等，都唤醒着现代人对自然的古老情怀。在画家的表达中，这种情怀具有某种超脱的宗教意义。现代人与人的疏离在画家的主题阐释中得到了昭示。

他的几幅代表作品《曙光初照》(获1993年全国群星美术大展银奖)、《沃土·晨光》(获'99全国第八届群星银奖)、《老牛车与小女孩》、《狗尾巴草》等，就是画家的艺术主题的完整体现。

周小愚同时是一个具有浓厚民间情怀的艺术家。看到他的作品笔者就油然地想起高尔基在他著名的自传小说里开篇的一句话——我在人间。

周小愚的艺术创造激情和情感总是来自对生活底层的寻常生命存在的深切体悟。他善于在幼小和弱者的表现中阐释审美的力量。画家认为他们远离伪善和权势，但他们拥有自然、纯朴和善良，这难道不是伟大和永恒吗？进而言之——或者我们可以说：人类美好的东西就是由他们所守护着的。周小愚是一个精神意义上的理想主义者，在这道德沦丧、物欲横流的时代，理想主义的明灯的守护者中总是不乏艺术家的。

作为一个油画家，周小愚执著地思考和探索着艺术表达的方式和表达的语言。他先是靠自学方式走上艺术生涯的。靠自学而得到通向专业道路的通行证，常常要付出双倍的艰辛和努力，其中滋味只有自己和同道知道。进入不惑之年后周小愚认识到为艺之道，尤其是油画之道，某些需要系统而严格专业化学科训练的法则还是困扰着他的表达，这是自学所难以超越的。于是他又进入浙江美院油画系深造。进修学习不但使他的造型基础油画语言得到长足的进步，还使得他有机会得到油画名家肖锋、全山石、胡善余等先生的耳提面命，这使得他对油画艺术的堂奥有了更深的领悟。结业后他返回故乡又开始深入生活，游历名山大川，强化对自然和人生的感受，于是几年，遂使自己的艺术创造进入了高峰期和佳境。

在现代艺术流派迭起的浪潮中，在当代油画的多元化格局里，周小愚十分自省地找到了自己的位置。

写实油画语言就语言本身而论是一种古典形态的东西，进入现代文化后写实语言发生了分化和变革，产生了很多现代的写实流派和风格，如照像写实主义、超级写实主义、新古典主义、新具象、表现写实主义等。这些艺术现象，说明在当代文化中写实主义艺术还有很多的可能性。基于这个认识，周小愚意识到自己最适合表达的是写实主义的方式。并且写实主义也可以适应现代文化，也可以表现现代人的精神和情感。从艺术的精神和艺术的形式法则的两个方面认识，周小愚显然意识到艺术是和传统关联着的，诚挚地以合适的艺术形式去表达人性的精神和自然精神是应该具在永恒价值的。

近些年来周小愚在表达方式和表达语言上处在稳健而自信的时期，在当代油画的格局中他不跟任何一个门派，他是以一种开放的文化态度看待一切艺术流派。以此为参照，他潜心地走着一条个性化的艺术道路，他的艺术表现和艺术想象在自己的形式自律中拓展。在艺术变革上他既是积极的又是温和的，在油画语言上他将印象派艺术的光与色，点彩派的用笔，怀斯写实风格的单纯，古典写实主义的造型方式融为一体，形成颇有个性色彩的艺术风格。

作为同道的朋友，我期待着画家在艺术上有更大的自由天地，期待着画家在艺术推进中将自己的艺术理想和人格理想达到更加完美的境界。

与妻子在画室

座谈"周小愚油画展"

1994年与香港艺廊经理张敏裕小姐在画室

工作中的周小愚先生

## 艺评集评

　　周小愚的油画，是充满沧桑的古典写实风格的油画。

　　古典写实画风是对中国油画本体意义上的推进，他既反对新潮美术中重观念而轻语言的偏颇风气，也反对以往的艺术以政治功利为目的的创作态度。古典写实风的立足点是油画自身语言的完善，而无意再去附庸时代的大课题，不愿再在空洞的重大题材上下功夫；而是将他们的关注点转向平淡的人生和事物，转向纯朴古老的山乡风土人情。从这些微不足道的平凡人生与普通风情中，画家们看到一种更为真实的存在，更能打动人心的情愫。这些普通人的生活，远比以往那些"假、大、空"的虚构更贴近艺术家们的心灵。因此，随着古典写实风的兴起，人们再难看到以往那些重大的时代主题。在题材的轻型化、主题的淡化中凸显出来的是一种人性的真实和艺术的纯正。艺术由于接近人生而更接近了它的本来面目。而所有这些，我们都可以程度不同地从周小愚的作品中感受得到。

　　周小愚的作品正是把视角对准普通人的生活。在这些平凡的生活中，没有复杂的情节，没有奇险的场面，一切都还平平常常、普普通通。一幅画仿佛就是随意从生活中剪裁下来的一个画面。《喇叭花》、《小羔羊》、《裸舟》、《沃土·晨光》、《曙光初照》……均是极为生活化的画面。但又不像生活本身那样琐碎、复杂，而是经过了提炼、概括和艺术加工，从而使画面呈现出一种宁静的气氛和淡淡的感伤情调。在艺术表现上，他的古典写实语言运用得也如生活那样纯朴自然。他注重光影的描绘和形的塑造，而不喜欢在色彩上铺张，从而在他的画中显示出一种很强的"素描感"，很像他的人，踏踏实实，不懂取巧，一步一个脚印地前行，表现出一个画家应有的本分。

　　　　　　　　摘自贾方舟《周小愚的古典写实油画》

　　年近九旬、在国内外享有盛名的水彩画大师、广州美术学院终身教授王肇民说："雅俗共赏乃艺术最高之境界。"中年油画家周小愚的油画，称得上是雅俗共赏的艺术佳作。周小愚的油画艺术显然是为众多的观众所接受的，因为他在自己的作品之中，倾注了热爱生活、关注人生的真诚感情。他的油画作品讲究写实风格与浪漫情调相结合，着力表现人与人，人与自然的关系。他的油画既注重素描的艺术效果，又讲究光和影的组构，使作品呈现出一种格调单纯、质朴、典雅与灵秀的艺术境界。

　　……

　　周小愚在90年代的作品，在艺术形式上将严谨的古典写实手法与抽象派的艺术构成、印象派的光与色等技巧巧妙地融为一体，都是一幅幅运思良久、精心营构、考究制作的油画，都是小愚结合着热爱生活的激情，用艺术家那执著而敏锐的眼睛去探寻蕴藏在生活底层的艺术之美，把看去似乎是生活中普普通通的东西，用心灵去感受，以娴熟、质朴和精到的油画技巧，使之变成富有艺术审美价值的画面，唤起人们对生活的热爱和对艺术美的向往。美术界的一些朋友说，从小愚在90年代不断拿出来的油画新作来看，他已在油画艺术上开创了一种属于自己典雅而又质朴、清晰而又含蓄、轻盈而又庄重的油画艺术风格，在作品中体现了一种赋于生活的真实感和时代气息，又在油画艺术语言方面给人留下一种值得反复回味的现代的、淡淡的人文气质的良好印象。

　　　　　　　摘自钱海源·《民族的情感·乡土的艺术
　　　　　　　　　　　　——读油画家周小愚作品随感》

　　周小愚的家在浏阳河畔一条老街的深处，楼道的壁上高悬着过时农具，昭示着主人的情趣——回家的亲切与安闲是更朴实的艺术享受，几样主人喜欢的雕饰与习作，不很醒目，不很渲染，但又分明流动着一种可以感受的热情，这一如周小愚半生以来的追求和探

索。周小愚总是在细碎的生活中裁剪着令人心动的瞬间，让自己的灵魂牢牢地俯贴着大地，吸取水草砂粒的清香。那山乡、风土人情似乎可以概括小愚的绘画艺术风格。

在周小愚的古典写实油画风格中，没有忽视生命的本来情态。他就是用自己这份宁静与安然和淡淡的感伤情调的油画作品，捧回了国内外多个奖项。他的二十多幅作品在香港展出并以较高的价位被国内外收藏机构和收藏家收藏，社会以经济杠杆也同时标注着他的成功。

……

周小愚以信念之笔和生命签署了一份探索油画艺术的大合约，无论人生发生怎样的变化，他都虔诚地抱定自己的追求，不曾更改，一如既往，在自己的理想境界，以绘画的名义远足。

摘自中央电视台专题片《以作画的名义远足——画家周小愚》

强调挖掘主题的精髓，是周小愚孜孜不倦的人生坐标。他的人生信念与艺术追求合二为一，作为艺术家他希望自己的心灵能归属于超越现实的理想，也希望通过自己的作品向人们展示这个境界。他喜爱原始的景色，朴素的人性。他的画多表现的是老人、小孩、动物。他所有的激情都来自生活底层这些寻常生命存在的体验。在这里，一架沧桑残旧的《老牛车》、一页饱经风雨飘摇的《裸舟》、一匹孤零零立于墙角旮旯儿的《小毛驴》，都成了他所关注的对象，正是这些平凡的物体、弱小的生灵唤起了作者对自然、纯真、朴实、善良的渴求。

在周小愚的作品中，常常利用光和影的深入浅出，在清晰而又含蓄的形体轮廓里，以一种清淡、朦胧的银灰色调，让人明明感到一种淡淡的人文气质蕴藏其中，这是一般画家很难感悟到的。这种整体浑厚生动而细节极为丰富的油画面貌，正是周小愚个人经验和心灵体验的积淀。画家用一颗善良炽热的心，提示人们的普遍悲剧意识，提示人与人之间应该互相爱护、互相理解和沟通，而人与自然之间同样需要平等对话。这幅《小羔羊》又怎能不叫人怦然心动，但凡看过这幅画的人，都会对衣衫褴褛的小男孩生出几分怜爱。而画中聚精会神的他，却关注着比自己更弱小的生命，这是一种多么伟大而纯真的爱心。在这里画面没有作大肆渲染，而是像一首哲理诗，把这份对生命的关注娓娓道来。画家把生活中普普通通的东西，通过自己的感受，使之变成有审美价值的画面，从而给予人们以更深层次的启迪和回味。

摘自湖南卫视专题片《油画家周小愚》

周小愚的油画体现了一种民族的情感，一种使人看起来很纯朴的、乡土的感情。再一个就是他的油画对一些矛盾处理得很好。譬如说色彩，他的色彩很丰富，但又非常单纯，在单纯中见丰富，我觉得这就是他色彩的特点。他的油画画得非常细腻，但整个画面又非常大气，具体的表现又刻画得很精到，很细致。这也是他进行艺术探索的突出成果。

黄铁山在湖南卫视专题片《油画家周小愚》中的评论

随着岁月的流逝，生活的磨砺，那种单一的表现方法令画家越来越感到困惑。于是那种发自内心的对油画艺术品性的思考和探索，使得画家年逾不惑之后，毅然决然地踏进了浙江美术学院，从而深化了对油画艺术特征的认识，完成了艺术语言上的飞跃，形成了自己颇具个性的油画艺术风格。那就是造型严谨细腻，色彩洗练柔和，画面清纯质朴，充满着生活气息。在艺术表现上，他将古典写实主义的造型、印象派的色与光、点彩派的用笔融会一体。同时他还借鉴中国传统工笔画的线性勾描，水彩画的流畅运笔等技法。因而，周小愚油画作品表现力相当丰富，常常是以形传神，内涵深厚，达到了情、理、美三者的和谐统一。

摘自长沙电视台专题片《锤炼艺术和人生的油画家周小愚》

图版

沃土 · 晨光 /100cm × 110cm/1998

▶ 沃土 · 晨光（局部）

喇叭花／110cm × 100cm／1997

小山雀／81cm × 110cm／1994
▶ 小山雀（局部）

谭嗣同献身／140cm × 131cm／1985—1996

旗号镰刀斧头／110cm × 100cm／1997

牧鹅少年／100cm×110cm／1996

山雾／100cm × 110cm／1997

红篱笆／70cm × 80cm／1982

环境卫士／81cm × 101cm／1983

乡村石匠／72cm×106cm／1983

狗尾巴草／62cm × 111cm／1985

摩梭女／106cm × 66cm／1986

山茶花／84cm × 58cm／1993

熟食小摊／81cm × 120cm／1995

小警察／84cm × 100cm／1995

侵华的悔恨／130cm × 140cm／1995

农家宝贝／100cm × 110cm／1995

小阳春／120cm × 100cm／1995
◀小阳春（局部）

曙光初照 /90cm × 110cm/1992

苗家小凤凰／100cm × 65cm／1990

倪梦麟先生 / 60cm × 82cm / 1993

节庆苗女／120cm × 100cm／1994

苗女与小狗／120cm × 82cm／1996

小彩云／110cm × 100cm／1997

山妹／110cm × 100cm／1997

古巷／45cm × 37cm／1983

街尾／38cm × 47cm／1975

村口／40cm × 45cm／1975

老街／110cm × 100cm／1997

河洲／28cm × 52cm／1984

大围山·壮士石／100cm × 110cm／1996

雨后泥泞路／55cm × 65cm／1997

渔舟网影／110cm × 100cm／1997

裸舟／110cm × 100cm／1997

小毛驴／110cm × 100cm／1997

源头活水／110cm × 100cm／1997
◀源头活水（局部）

老牛车与小女孩／81cm × 116cm／1994

▶老牛车与小女孩（局部）

女人体／70cm × 51cm／1985

女人体／70cm × 53cm／1985

浴后／64cm×110cm／1994

中师学生 / 76cm × 55cm / 1983

暖日·山花／100cm × 110cm／1999

秋日里／110cm × 100cm／1999

牧羊小姐妹／110cm × 100cm／1997
◀ 牧羊小姐妹（局部）

月光光／100cm × 110cm／1997
▶月光光（局部）

小羔羊／100cm × 110cm／1997

▶小羔羊（局部）

老家／122cm × 87cm／1999

人民怀念您／100cm × 100cm／1998

秋收暴动前夕／100cm × 150cm／1976

▶ 秋收暴动前夕（局部）

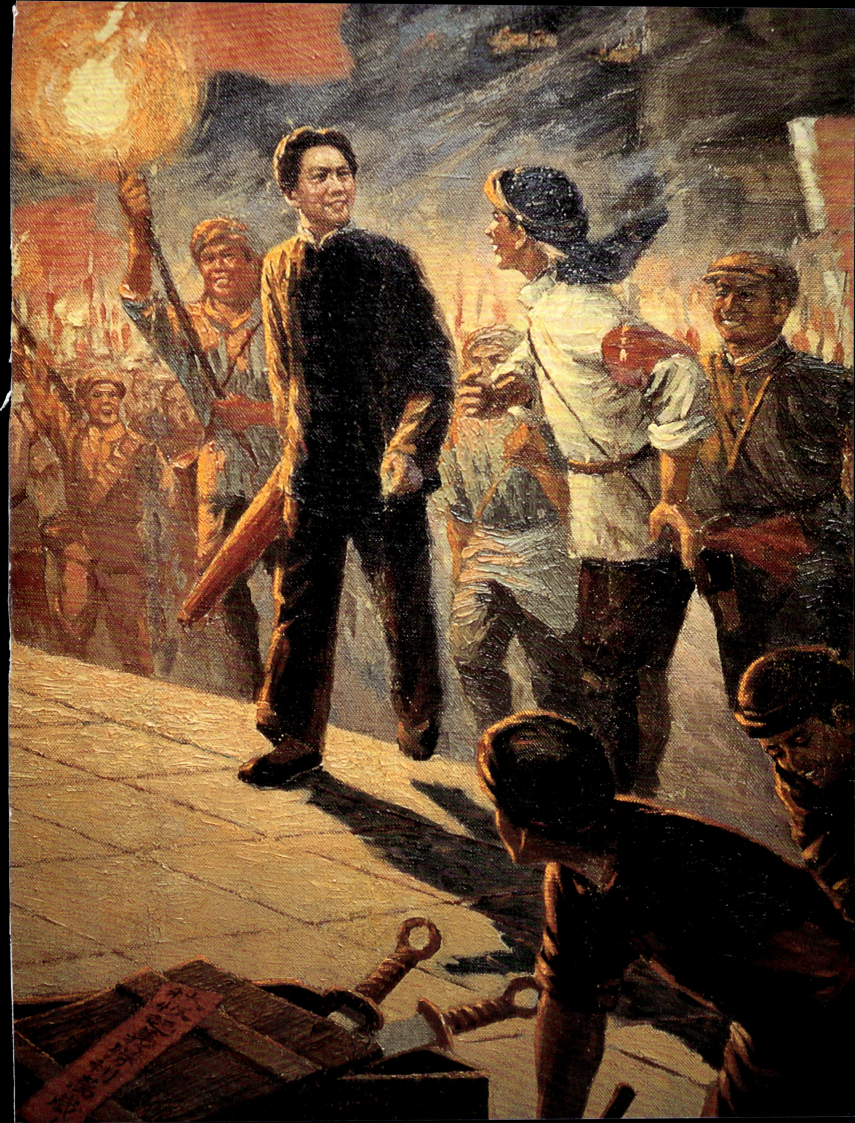

责任编辑：姚阳光
封面设计：郭天明
责任校对：李奇志
作品拍摄：王春林

**周小愚油画集**

湖南美术出版社出版 · 发行（长沙市人民中路 103 号）
作者：周小愚　责任编辑：姚阳光　责任校对：李奇志
湖南省新华书店经销 · 深圳华新彩印制版有限公司制版
利丰雅高印刷（深圳）有限公司印刷
开本：635 × 960　　1/8　　印张：9
2000 年 5 月第 1 版　　2000 年 5 月第 1 次印刷
印数：1 — 1000 册
ISBN 7-5356-1395-0/J · 1312　　　　定价：120.00 元